schreven

Kwispelstaartjes
De konijnenkeuteldropfabriek

Voor kinderen die van dieren houden

Carry Slee & Dagmar Stam

De konijnenkeutel-dropfabriek

In de serie *Kwispelstaartjes* zijn verschenen:
Piep, zei de muis
De konijnenkeuteldropfabriek
Een krokodil in de heg
De knorreborreboerderij
Giechelvisjes

www.carryslee.nl

Eerste druk 1998
Tiende druk 2006

ISBN 90 499 2156 6
NUR 281

Vormgeving Petra Gerritsen
Idee en research Elles van den Berg

Het liedje 'Uit Artis is een beer ontsnapt' is geschreven en gecomponeerd door Cees West en staat in *Liedjes met een hoepeltje erom*

Carry Slee is een imprint van Foreign Media Books BV,
onderdeel van Foreign Media Group

INHOUD

EEN KRUL IN JE BIL

Vandaag is het maandag. Eefje en Mark gaan niet naar school. Dat kan niet eens. De school is dicht. Het is vakantie. Ze zijn vroeg wakker, nog vroeger dan anders. Dat komt doordat ze iets heel spannends gaan doen.
De laatste dagen kwam Mark elke morgen Eefjes kamer binnen. 'Hoeveel nachtjes nog?'
Eerst stak Eefje vier vingers op. En toen drie en daarna twee. En gisteren nog maar één.
Vandaag vraagt Mark niks. Hij doet Eefje na en maakt van zijn hand een vuist.
'Nul... nul... nul...' zingen ze. En dat klopt. De nachtjes die ze moesten wachten zijn allemaal op. Straks is het zover, dan gaan ze logeren.
'Nul... nul... nul...' Ze dansen door de kamer.
'In je haar zit een krul...' rijmt Eefje erachteraan.
'Nul... nul... nul... in je neus zit een krul,' lacht Mark.
Eefje weet nog iets gekkers. 'Nul... nul... nul... in je bil zit een krul.'
Slap van het lachen rollen ze over het bed. 'Haha... wie heeft

er nou een krul in zijn bil?'
Als ze uitgelachen zijn, stopt Eefje Flaps pyjamaatje in het rode koffertje.
'Mag Ollies pyjama ook in jouw koffertje?' vraagt Mark.
Eefje aarzelt. 'Dan moet ze eerst raden waar we gaan logeren.'
Dat vindt Mark niet eerlijk. 'En Flap dan?'
'Die heeft het al geraden,' zegt Eefje. 'In drie keer.'
'Dat kan Ollie ook.' Mark haalt zijn knuffel.
'Nou Ollie?' vraagt Eefje. 'Zeg dan waar we gaan logeren? Het is heel leuk.'
Mark helpt Ollie een beetje. 'We moeten met de auto, want het is ver weg.'
'En er zijn heel veel bomen,' zegt Eefje. 'Maar we hoeven niet in die bomen te slapen. Er is ook een huis.'
'En op zolder is een heel groot bed,' zegt Mark. 'En daar gaan wij met zijn allen in slapen.'
'Zie je wel,' zegt Eefje. 'Ollie weet het niet.'
'Wel hoor,' zegt Mark gauw. 'Ze durft het alleen niet hardop te zeggen.' En hij doet of Ollie iets in zijn oor fluistert.
'Knapperd,' zegt hij dan, 'goed geraden. We gaan bij opa en oma logeren.'
'Weet je wat ik het fijnst vind,' zegt Eefje.
'Nou?'
'Dat Boef ook mee mag.'
Mark knikt. Eerst durfden ze maar één nachtje bij opa en oma te slapen.

'En als Boef nou ook mee mag?' vroeg oma. 'Hoe lang willen jullie dan blijven?'
'Als Boef mee mag, durf ik wel een miljoen-triljoen nachtjes,' zei Eefje.
Dat leek oma wel erg lang. En nu worden het vijf nachtjes. Opa heeft beloofd dat Boefs mand 's nachts bij hen op zolder mag staan. Dat vinden Eefje en Mark helemaal leuk.
'Weet je ons geheim nog?' vraagt Mark.
Eefje weet wat Mark bedoelt. Zodra opa en oma de kamer uit

zijn, nemen ze Boef lekker tussen hen in, in het grote bed.
'Maar dan moet jij je pieskraantje wel dichthouden,' zegt Eefje. 'Anders zwemmen ikke en Boef en Ollie en Flap het grote bed uit.'
'Ik pies nooit meer in bed,' zegt Mark verontwaardigd.
Eefje gaat er niet tegenin. Ze bedenkt ineens dat ze hun cadeau nog moeten afmaken.
Mark was het ook bijna vergeten. Poes Snoetje en hamster

Hammie mogen niet mee naar opa en oma. Daarom hebben ze een scheurkalender voor de beide dieren gemaakt. Er zitten vijf tekeningen in. Op elke tekening hebben ze zichzelf en Boef getekend. Dan kunnen Hammie en Snoetje hen tenminste niet vergeten. Mama moet elke dag een tekening afscheuren als ze weg zijn. En als alle tekeningen op zijn, komen Eefje, Mark en Boef weer thuis. Ze gaan vlug achter hun tafel zitten. De laatste twee tekeningen moeten ze nog kleuren.

Na het ontbijt wordt er heel hard getoeterd. Eefje en Mark rennen naar het raam.
'Daar is opa!' roepen ze blij. En ze hollen naar buiten.
'Dus jullie zijn het niet vergeten,' zegt opa.

Eefje en Mark moeten lachen. Zoiets leuks kun je toch niet vergeten.
Eefje en Mark rennen naar hun koffertjes. Maar opa wil nog even met mama praten.
Zuchtend lopen de kinderen de keuken uit. Waarom moeten grote mensen nou altijd praten.
'Ik weet wat,' zegt Eefje. 'We doen Ollie en Flap vast in de auto.'
'Ja!' Achter elkaar hollen ze de deur uit.
Ze boffen. Opa heeft de auto niet op slot gedaan. Mark moet de deur openhouden, zodat Eefje de knuffels op de achterbank kan zetten.
'Ik haal onze koffers!' En Mark rent al naar binnen.
'Nu alleen Boefs mand nog,' zegt Eefje als de koffers in de auto staan.
Boef heeft wel zin om te logeren. Ze huppelt vrolijk achter hen aan. Met zijn tweetjes tillen ze de mand in de auto.
'We kunnen vertrekken!' roepen ze en ze rennen de keuken in.
Maar mama schenkt net een kopje koffie voor opa in. 'Kijk eens wat ik voor jullie heb?' Ze geeft hun elk een beker chocolademelk.
'Als jullie chocola op is dan gaan we,' zegt opa.
Eefje en Mark drinken hun beker in één teug leeg. Eefje wijst naar haar broertje. 'Haha, je hebt een snor.'
'Jij ook,' lacht Mark.
'We hebben alledrie een snor.' En Eefje wijst naar opa.

'Ik zal die snorren eens even weghalen.' En mama pakt een washandje. Eerst veegt ze de monden van Eefje en Mark schoon en daarna loopt ze naar opa toe.
'Help!' roept opa. 'Kom op, kinderen, we gaan. Zo meteen veegt mama mijn snor er ook af.'
'Haha die opa...' Eefje en Mark moeten lachen. 'Dat gaat helemaal niet, want jouw snor zit vast.'
Achter hun opa aan huppelen ze naar de deur.
'Boef!' roepen ze. Maar waar is Boef eigenlijk?
'Die stouterd ligt vast boven.' Mama gaat de trap op. Maar in de kamertjes van Eefje en Mark is Boef ook niet.
Mama kijkt de kinderen aan. 'Boef zal toch niet naar buiten zijn geglipt toen opa kwam?'
Eefje en Mark schrikken. Stel je voor dat Boef weg is...
'Boef... Boef!' roepen ze door de straat. Maar Boef is nergens te bekennen.
'Daar is ze.' In de verte ziet Mark een hondje lopen. Ze stormen ernaartoe. 'Boef!' Maar als ze vlakbij zijn zien ze dat ze zich hebben vergist. Het is een ander hondje. Iedereen die ze tegenkomen vragen ze naar een wit hondje met zwarte vlekken, maar niemand heeft iets gezien. Zelfs buurvrouw Smit niet en die weet altijd precies wat er op straat gebeurt. Eefje en Mark moeten bijna huilen. Misschien moeten ze wel de hele dag zoeken. Of misschien wel vijf dagen. Dan kan de logeerpartij niet doorgaan.
'En?' vraagt mama als ze terugkomen.

Eefje en Mark schudden hun hoofd. 'Ze is er niet.'
'Zonder Boef ga ik niet logeren,' zegt Eefje. En dat wil Mark ook niet.
'Ze kan nooit ver weg zijn. Kom op, dan gaan we haar samen zoeken. Maar eerst sluit ik even de auto af.' Opa loopt naar

buiten. En wie ligt daar op de achterbank in haar mandje te slapen? Boef.
Eefje en Mark zijn heel blij. 'Nul… nul… nul…' zingen ze. 'In je bil zit een krul.'
Opa draait zich verschrikt om. 'Zit er een krul in mijn bil?'
'Haha, die opa, die gelooft het nog ook.' Lachend klimmen ze de auto in.

DEFTIGE APPELS

Eefje en Mark rijden al een hele tijd in de auto. Ze weten niet meer zo goed wat ze moeten doen. Alle spelletjes die ze hadden bedacht zijn op.
'Zijn we er al?' vraagt Eefje.
'O nee.' Opa schudt zijn hoofd. 'We zijn nog niet eens op de helft.'
Eefje en Mark schrikken. Duurt het nog zó lang voordat ze er zijn? Dat houden ze nooit uit.
Mark zakt verveeld onderuit. 'Opa, ik heb zo'n honger…'
'En ik heb dorst…' Eefje wrijft over haar buik.

Nog geen tel later schieten ze overeind. Opa rijdt een bospad op. Het lijkt op het bospad van hun klimboom. Aan het eind van het pad zien ze een houten huis. Dat huis kennen ze. En de vrouw in de rode jurk die in de deuropening staat, kennen ze heel goed: dat is oma!

‘We zijn er!’ Ze beginnen te juichen. ‘Stoute fopopa,’ zegt Eefje.
Opa parkeert lachend de auto voor het huis.
Oma maakt het portier van de auto voor hen open. ‘Daar zijn mijn logés.’ Ze tilt de kinderen een voor een uit de auto. Zodra ze op de grond staan, beginnen ze te snuiven. Boef steekt ook haar neus omhoog. Het ruikt zo lekker, heel anders dan in hun straat. Het ruikt naar bos.
‘Hadden jullie een goede reis?’ vraagt oma. Maar Eefje en Mark hebben geen tijd om antwoord te geven. Die rennen het huis in en slepen hun koffertjes de zoldertrap op. Als ze boven zijn duiken ze op het grote bed.
‘Ik mag hier!’ Eefje legt Ollie bij de muur.
‘En jij slaapt hier, Boef, tussen ons in,’ zegt Mark.
‘Ssst.’ Eefje legt haar vinger op haar mond. Ze hoort opa de trap opkomen.
Opa zet Boefs mand in een hoek van de kamer. ‘En mevrouw en meneer, wat dacht u van deze hotelkamer?’ Hij praat heel deftig.
Eefje en Mark trekken ook een deftig gezicht. ‘Erg mooi.’
‘Heeft u het uitzicht al gezien?’ vraagt opa.
Eefje en Mark lopen met hun neus in de lucht naar het raam.
‘Daar heb je onze klimboom!’ roept Mark blij. ‘Kom op, we gaan spelen.’
Eefje en opa moeten lachen. Welke deftige heer wil nou in de klimboom spelen? Maar de deftige dame heeft er ook zin in.

'We waren geen deftigers meer.' En Eefje rent achter haar broertje aan de trap af. Als ze beneden komen, staan er heerlijke krentenbollen op tafel. Ze weten niet wat ze moeten kiezen. Hun krentenbollen opeten, of naar de klimboom.
'Het kan ook allebei.' Eefje kijkt oma lief aan. 'Mogen we in de klimboom eten?'
'Vooruit dan maar.' En oma stopt de krentenbollen in een zakje. Ze maakt ook drinken voor hen klaar.
'Ik haal Ollie en Flap,' zegt Mark als Eefje hun drinken in de klimboom zet.
Als hij terugkomt, zitten Eefje en Boef al in het holletje van de boom. Mark kruipt er ook bij. Ze passen maar net met zijn drietjes naast elkaar. 'Mooi is onze boom, hè?' zegt Mark.
'Wheel whooi,' zegt Eefje met haar mond vol.
'Kijk eens!' Als ze klaar zijn met eten wijst Eefje naar het mos.
'Wat lief!' Tussen de bladeren snuffelt een eekhoorn. Hij houdt zijn neus vlak boven de grond.
'Hij zoekt iets.' Eefje fluistert. Ze wil de eekhoorn niet wegjagen. Ze zien dat de eekhoorn begint te graven. Zou hij iets hebben verstopt? Ja hoor, hij houdt iets tussen zijn pootjes. En dan gaat hij rechtop zitten.
'Misschien had hij een kauwgumpje verstopt,' zegt Mark.
Eefje moet lachen. 'Eekhoorns lusten geen kauwgum, die eten eikeltjes.' De schil vindt hij niet lekker, want die peutert hij er met zijn scherpe tandjes af. Maar de eikel knabbelt hij heerlijk op.

'Goed kijken.' Mark tilt Flap en Ollie op schoot. Eefje wil dat Boef de eekhoorn ook ziet. 'Zie je dat lieve eekhoorntje?' Ze draait het hondenkopje in de richting van de eekhoorn. Nu heeft Boef de eekhoorn in de gaten. Maar ze vindt hem helemaal niet lief. Wat moet jij in opa's tuin, denkt Boef. Ga je gauw weg! Luid blaffend stormt ze op de eekhoorn af.
Eefje en Mark schrikken. Als Boef de eekhoorn maar niet bijt. Ze springen uit de boom en rennen achter Boef aan. De eekhoorn schiet de boom in. Boef springt grommend tegen de stam op. Gelukkig kan ze er niet bij. Mark kijkt onafgebroken omhoog. Eefje is ook ongerust. 'Nou durft die lieve eekhoorn niet meer naar beneden. En hij had net zo'n honger. Als hij niet eet, gaat hij dood.'
Ze rennen naar binnen. 'Opa, kom gauw. De eekhoorn gaat dood van de honger.'
'Maken jullie je maar niet bezorgd,' zegt opa als hij ziet wat er aan de hand is. 'Zie je die dennenboom daar? Die zit vol heerlijke dennenappels. Als hij honger heeft gaat hij daar wel naartoe.'

'Dat kan juist niet,' zegt Mark. 'Hij is bang voor Boef.'
'Hij hoeft niet over de grond,' zegt opa.
De kinderen kijken opa verbaasd aan. 'Een eekhoorn kan toch niet vliegen?'
'Het lijkt er wel op,' zegt opa. 'Wacht maar af.'
Ze houden de eekhoorn in de gaten. En dan zien ze wat opa bedoelt. De eekhoorn neemt een sprong en zweeft door de lucht.

'Zien jullie die dikke staart?' vraagt opa. 'Dat is zijn parachute. Daar stuurt hij ook mee. Kijk maar, hij landt in de dennenboom.'
Eefje en Mark wisten niet dat een eekhoorn zo ver kon springen. Ze klappen in hun handen voor hem.
'Eekhoorns zijn slimme diertjes,' zegt opa. 'In de herfst verstoppen ze allemaal lekkere dingen. En als ze honger hebben, graven ze die weer op.'
'Wij waren eekhoorns,' zegt Mark.
'Ja, en Boef was ook een eekhoorn. En we gingen eerst ons nest maken.' Eefje raapt een paar takjes op en legt ze in de boom. Mark komt met een handvol bladeren aan.
'Nu is ons nest klaar,' zegt Eefje. 'We speelden dat het herfst was. En toen gingen we gauw onze dennenappels verstoppen.'
'Ik begraaf mijn deftige appel hier,' zegt Mark.
Eefje moet lachen. 'Dat heet geen deftige appel, het heet

dennenappel.' En ze verstopt haar dennenappel in de aarde.
'Deze is voor Boef.' Mark stopt nog een dennenappel in de grond.
Eefje zit al in de dikke eik. Ze doet alsof ze moet gapen. 'Wat ben ik moe.' Ze doet haar ogen dicht en maakt snurkgeluiden.
Boef vindt het ook heel gezellig. Ze kruipt tegen de kinderen aan.
'Ik weet nog waar ik mijn deftige appel heb verstopt,' zegt Mark.
'Ssst...' zegt Eefje. 'Ik slaap.'
'Maar je praat toch?' Mark snapt er niks van.
'Koekepeer, ik slaap zogenaamd.' En Eefje begint nog harder te snurken.
Nu doet Mark ook zijn ogen dicht. Na een tijdje gaan Eefjes ogen open. 'Hèhè, wat heb ik lekker geslapen.'
'Nu mogen we onze deftige appels zoeken, hè?' Eekhoorn Mark rent naar zijn verstopplek. Hij graaft. Maar wat is dat nou? In plaats van de appel ligt er een snoepje. Eefjes dennen-

appel is ook in een snoepje veranderd. En die van Boef is een hondenkoekje geworden.
Eefje en Mark snappen er niks van. Ze halen het snoepje uit het papiertje en steken het in hun mond.
'Ik weet al hoe het kan.' Eefje trekt een geheimzinnig gezicht.
'Er woont een tovenaar in het bos.'
'Een tovenaar?' Mark wordt er stil van.
'We hebben wel geluk met die tovenaar,' zegt Eefje. 'Kom, we gaan nog meer dennenappels verstoppen.'
Zodra ze klaar zijn rennen ze naar de boom. Ze knijpen hun ogen stijf dicht. Na een paar tellen horen ze al geritsel.
'Daar is-ie!' Eefje stoot Mark aan.
Mark vindt het zo spannend dat hij niet durft te kijken.
Eefje is veel te nieuwsgierig. Ze gluurt tussen haar oogharen door. En dan ziet ze de tovenaar. Ze heeft een rode jurk aan en een heel lief gezicht. Het is oma...

EEN TIMMERBEEST

Eefje snapt er niks van als ze 's morgens wakker wordt. Wat is dat voor lawaai! Staat er soms een orkest in de tuin van opa en oma? Maar dat kan toch niet. Het is nog niet eens helemaal licht. Ze kijkt naast zich. De ogen van Mark gaan ook open. Zelfs snurkkop Boef kruipt al onder het dekbed uit.
Als ze het gordijn openschuiven, zien ze wie hen hebben gewekt. Het zijn de vogels. Ze zingen allemaal door elkaar. Het zijn er wel honderd, of misschien wel duizend.
Boef is blij dat ze zo vroeg wakker zijn. Ze begint de beide kinderen overal te likken.
Ze wachten tot het helemaal licht is en dan kleden ze zich aan.
'Jullie zijn zeker wakker geworden van de vogels,' zegt opa.
'Ze maken wel erg veel lawaai, zeg,' zegt Eefje.
Opa vertelt dat de vogels beginnen te zingen zodra het licht wordt. 'Weten jullie wat ze dan zingen?' En hij doet het voor. 'Goeiemorgen, daar ben ik weer. Ik zit hier op deze boom te fluiten. Want deze boom is van mij. Hebben jullie het allemaal gehoord? Ik woon in deze boom.' Opa kijkt de kinderen aan. 'Handig, hè?' Hij doet de tuindeuren open. Eefje en Mark

ruiken meteen weer die heerlijke bosgeur.
'We boffen,' zegt opa. 'Het is een prachtige dag. We gaan lekker buiten ontbijten.'
'Leuk!' Mark en Eefje rennen naar de picknicktafel. Er staan maar drie stoelen. Eefje ploft gauw op een stoel neer en dan begint ze net als de vogels te zingen. 'Goeiemorgen, daar ben ik weer. Dit is mijn stoel. Niemand mag hierop zitten, alleen ik.'
'En dit is mijn stoel...' zingt Mark door Eefjes lied heen.
Er is nog maar een stoel over. Daar gaat opa op zitten. En dan begint ook hij te zingen. 'Hier zit ik...'

Ze zingen alledrie door elkaar. Ze maken bijna net zoveel lawaai als de vogels vanochtend in de tuin.
'Wie nog geen stoel heeft, heeft pech,' zingt opa. 'Die moet maar naar een ander bos...'
Oma komt net met een blad vol warme broodjes aanlopen.
'O, ik hoor het al,' zegt ze als ze ziet dat er geen stoel voor haar is. 'Ik moet naar een ander bos. Dan neem ik die lekkere broodjes wel mee.'
'Nee, je mag hier zitten, oma.' Eefje en Mark springen op en tillen de stoel die bij het hek staat naar de picknicktafel.

'Zullen we verstoppertje doen?' vraagt Mark als hun broodjes op zijn.
'Ja,' zegt Eefje. 'En Ollie en Flap moesten ons zoeken. Ik weet een heel spannend plekje.'
Ze zetten de twee knuffels met hun neus tegen het hek, zodat die hen niet kunnen zien. 'Gaan jullie maar tellen. Een, twee...' telt Eefje hardop. Ollie en Flap mogen niet horen welke kant ze op gaan. Daarom trekken ze hun schoenen uit. Brrr... de dennennaalden prikken wel onder hun voeten. Maar als ze eenmaal op het mos staan, voelt het juist heerlijk zacht.
'Gauw!' Eefje trekt Mark achter de kastanjeboom. 'Hier vinden ze ons nooit.'
'Kom maar!' roept Eefje.

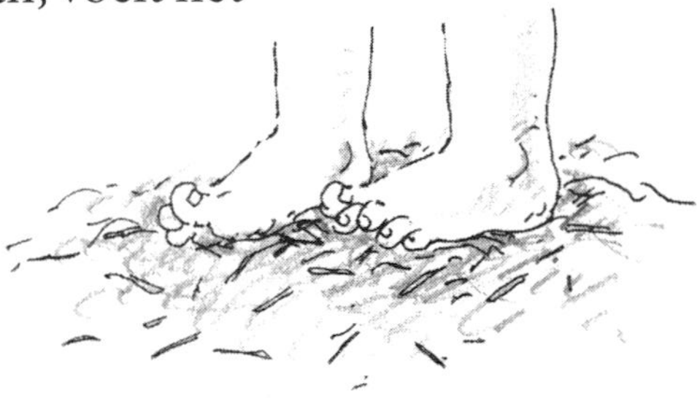

Stilletjes blijven ze achter de boom staan.
'Ssst...' zegt Eefje. 'Anders horen ze ons.'
'Ik ben toch stil,' fluistert Mark. 'Ik zeg niet eens iets.'
'Je mag ook niet timmeren,' zegt Eefje zachtjes.
Mark snapt er niks van. 'Ik timmer helemaal niet.'
'Welles,' zegt Eefje. 'Je timmert tegen de boom. Ik hoor het toch zeker zelf.'
'Kijk dan, ik doe helemaal niks.'
Eefje kijkt naar Mark. Hij staat stokstijf naast haar. En toch hoort ze getimmer. Tik-tik-tik... klinkt het.
Eefje kijkt omhoog. 'Er zit iemand in de boom,' fluistert ze. 'En die wil de boom stukmaken.'
'Dat moeten we tegen opa vertellen.' En Mark holt weg.
'Au!' Mark trapt als eerste op een takje en daarna Eefje. Ze trekken gauw hun schoenen aan. En dan rennen ze naar binnen.
'Wat horen jullie precies?' vraagt opa.
'Tik-tik-tik-tik...' doen Mark en Eefje heel snel achter elkaar.
Ze zien aan opa's gezicht dat hij het al weet.
'Is het soms een timmerman?' vraagt Eefje.
'Daar lijkt het wel een beetje op,' zegt opa. 'Want hij timmert een huisje voor de vogels. Maar het is geen mens, het is een beest.' Opa neemt de kinderen mee naar de boom.
'Een timmerbeest?' Daar hebben Eefje en Mark nog nooit van gehoord.
'Kijk maar wat voor dier het is.' Opa houdt hun de verrekijker

voor. Nu zien ze wie dat lawaai maakt. Hoog in de boom zit een zwartwitte vogel met een rode staart. Hij tikt met zijn snavel tegen de stam.
'Het is een specht,' zegt opa. 'Hij heeft een heel harde snavel. Daarmee timmert hij een holletje in de boom om in te broeden. Maar soms gebruikt hij het holletje alleen om te eten. En dan gaan andere vogels erin wonen.'

Zoiets hebben Eefje en Mark nog nooit gehoord. Als je lekker wilt eten moet je koken, maar toch niet timmeren.
'Even een gebakken eitje timmeren,' lacht Eefje.
'Of een pannenkoek timmeren,' grinnikt Mark.
'De specht eet torretjes,' zegt opa. 'Hij tikt met zijn snavel tegen de boom. De torretjes die in de boomschors wonen denken: Wat gebeurt daar nou? En dan kruipen ze nieuwsgierig naar buiten.'

Eefje weet al wat er dan gebeurt. 'Dan zegt de specht: Hap.'
Opa knikt.
'Ik weet wat,' zegt Mark als opa weg is. 'Ik was een specht en jij en Boef en Ollie en Flap waren torretjes.'
Dat lijkt Eefje ook een spannend spel. 'Wij zaten in de boom. En jij kwam lawaai maken.' Ze gaat met Ollie en Flap aan de andere kant van de boom zitten.
Specht Mark komt aanlopen. Hij wrijft over zijn buik. 'Wat heb ik honger, zeg! Ik zou wel een lekker torretje lusten.' En hij tikt met zijn neus tegen de boom.
'Au, mijn neus!'

Tor Eefje schiet in de lach. Dat kan toch nooit pijn doen? Ze voelt aan de boom. Dan merkt ze dat boomschors best hard is.
"Tik-tik-tik,' hoort ze de specht zeggen. Maar in plaats van te kijken wat er aan de hand is, springen de torren achter de boom vandaan. BOEOEOEOE!
Specht Mark kukelt van schrik op de grond. Tor Boef denkt dat het bij het spel hoort en begint de specht te likken. En tor Eefje maakt het nog erger. Die kriebelt de specht in zijn buik.
'Zo moet het niet,' zegt de specht. 'Jullie doen het helemaal fout. Jullie waren bang voor mij. Ik ging jullie opeten.'
'Pak ons dan als je kan!' En tor Eefje holt met Ollie en Flap weg. Boef rent achter haar aan. Specht Mark springt overeind en probeert hen te pakken. Maar de torren kunnen veel harder rennen.
'Zo vind ik er niks aan.' De specht blijft staan. 'Ik wil jullie opeten.'
'Jij je zin, eet deze tor maar op.' Eefje gooit Ollie naar Mark toe.
'Nee,' zegt de specht. 'Ollie is veel te lief. Die wil ik niet opeten. Ik wil die dikke vette Flap-tor opeten.'
Nu wordt Eefje boos. 'Ja ja, alleen maar omdat het mijn knuffel is. Valserik! Ik speel niet meer met jou.'
'En ik ook niet meer met jou.'
Ze draaien zich om. Maar waar is het huis van opa en oma eigenlijk? Ze zien het niet. En waar de klimboom stond, staan

allemaal vreemde bomen en struiken. Nu schrikken ze heel erg.
'We zijn verdwaald,' zegt Eefje.
Mark begint te huilen. 'Ik wil naar mama toe...'
'Ik ook...' Eefje moet aan het sprookje van Hans en Grietje denken. 'Hans en Grietje waren ook in het bos verdwaald,' snikt ze, 'en toen heeft die gemene heks ze gevangen. En die wou Hans opeten...'
Nu begint Mark nog harder te huilen. 'Ik wil niet dat de heks me opeet...'
'Help!' Eefje kijkt naar Boef die met gespitste oren opspringt. 'Zie je wel, de heks komt eraan. Dat kunnen wij niet horen. Maar Boef met haar scherpe oren wel. We moeten ons verstoppen, vlug!' Op het moment dat ze weg willen rennen, zien ze Boefs staart heen en weer gaan. Boef kwispelt. Dat betekent dat ze iets fijns hoort. Ze slaan hun armen om de hond heen. 'Wat hoor je, Boef, zeg dan wat je hoort?'
Boef blaft en wil wegrennen. Eefje kan nog net de rode halsband grijpen.
Met Boef tussen hen in lopen ze door het bos. Het duurt niet lang voor ze horen wat Boef al veel eerder had opgevangen. 'Mark... Eefje... we gaan koekjes bakken!' Die stem kennen ze heel goed; dat is oma die roept. Nu durven ze Boef los te laten. Ze hollen achter Boef aan. Over het mos en om een beukenboom heen. En dan zien ze het huis van opa en oma.

DE POPPENROVER

Het heeft de hele ochtend geregend. Eefje, Mark en Boef hebben op zolder gespeeld. Maar nu kunnen ze weer naar buiten, want het is droog. Ze zien dat er geen druppels meer in de plassen vallen. Ook aan de vogels horen ze dat het niet meer regent. Die fluiten weer.
Overal hangen dikke druppels aan de bomen. En het gras is nat. Gelukkig hoeven Eefje en Mark niet te wachten tot het droog is. Ze hebben hun kaplaarzen niet voor niks meegenomen. En Boef vindt het niet erg als haar pootjes nat worden. Die drogen vanzelf wel weer. Alleen Ollie en Flap mogen niet naar buiten. Anders worden ze vies. De kinderen zetten hun knuffels op het stoepje voor het huis. Dan kunnen die hen toch zien.
'Pas op!' schreeuwt Eefje als Mark van het stoepje springt. Het loopt net goed af. Naast Marks voet zit een kever.
Eefje zet de kever op haar hand en begint te zingen:

> 'Hansje Pansje kevertje
> die klom eens op 'n heg.
> Neer viel de regen

die spoelde alles weg.
Op kwam de zon
die maakte alles droog.
Hansje Pansje kevertje
die klom toen weer omhoog.'

Als opa het lied hoort, komt hij naar buiten. 'Weten jullie wat dit voor kevertje is? Een vuilnismannetje.' Opa vertelt dat de kever alle rommeltjes in het bos opeet. Geen broodzakjes of snoeppapiertjes die door de mensen zijn achtergelaten, maar rotte blaadjes en restjes hout.

'We gaan een vuilnisbelt maken,' zegt Eefje. 'Dit kevertje moet op de vuilnisbelt werken.'

'Ja, en Ollie en Flap waren de baas van de vuilnisbelt.' Mark heeft de knuffels al te pakken.

'Hier was de vuilnisbelt, onder onze klimboom.' Ze vergeten helemaal dat de grond nat is. 'Ziezo!' Ze zetten Ollie en Flap met hun billen in de modder. En dat is nog niet alles. Ollie en Flap moeten ook helpen. Met de pootjes van Flap harkt Eefje de blaadjes bij elkaar. Mark pakt Ollie en schuift niet alleen met haar pootjes, maar ook met haar slurf over de grond. De knuffels zitten al helemaal onder de modder en het spel is nog maar net begonnen.

'Deze takjes moeten ook nog.' Mark legt ze boven op de vuilnisbelt.

Met een tevreden gezicht kijken ze naar hun werk. De vuilnisbelt is best groot, veel te groot voor één klein kevertje. Dat kan hij nooit allemaal op.
Eefje heeft al een oplossing. 'We gaan nog meer vuilnismannetjes zoeken.'
'En dan was Boef de vuilniswagen,' zegt Mark. 'Die bracht alle vuilnismannetjes naar hun werk.' Ze halen een schoenendoos uit de schuur. De doos wás wit, maar nu zit hij vol zwarte vingers.
'Hier is nog een vuilnismannetje.' Mark stopt een bruine kever in de doos en Eefje een zwarte.
Na een tijdje inspecteert Eefje de doos. Ze telt vijf kevers.
'Stop! De vuilniswagen is vol. We gaan vertrekken!' Ze haalt een touw uit de schuur en bindt de doos op Boefs rug. Zo

kunnen de vuilnismannetjes tenminste niet uit de vuilniswagen vallen.
'TOEOEOEOET...' doet Mark en daar gaan ze. Als ze bij de vuilnisbelt komen, halen ze de kevers uit de doos.
Mark spreekt Ollie en Flap streng toe. 'Jullie moeten ervoor zorgen dat de vuilnismannetjes doorwerken.'
'Ja,' zegt Eefje, 'en als ze gaan suffen moeten jullie heel hard boeoeoe roepen. Zo.' En ze doet het voor. 'BOEOEOE!'
Mark laat de knuffels van schrik van de berg rollen. Wat zien ze eruit. Ollie en Flap zijn bijna zelf een vuilnisbelt geworden.
'Wij gingen nog meer vuilnismannetjes zoeken,' zegt Eefje.
Op hun knieën kruipen ze onder de struiken door. Mark houdt een bruine kever met een groen kopje op zijn hand.
Om het harde bruine schild dat de vleugels bedekt, zit een groen randje.
'Dit is een mooie, die laat ik aan opa zien.' Mark rent naar opa toe.
Opa staat op het punt weg te gaan. 'Dit is wel een kever,' zegt hij gehaast, 'maar het is geen vuilnismannetje. Hij eet geen rommeltjes. Hij eet iets heel anders. Het is een poppenrover.
Hij eet wel vierhonderd poppen per jaar.'
Eefje en Mark kijken opa verschrikt aan. 'Woont er een poppenrover in het bos?'
'Als ik terug ben, vertel ik jullie meer over de poppenrover.' En opa stapt op zijn fiets.
'We moeten Ollie en Flap redden voordat die gemene

poppenrover ze opeet,' zegt Mark.
'Nee,' zegt Eefje. 'We moeten eerst de poppenrover gevangen-zetten, dat is veel beter.'
Mark heeft al een paar steentjes te pakken. Eefje zet de poppenrover in het gras en legt de steentjes als een muurtje

om hem heen. Ze kijken goed of er geen kiertjes tussen zitten. Anders ontsnapt de poppenrover toch nog.
'Nu zit je gevangen,' zegt Eefje. 'Nu kun je geen gemene dingen meer doen.'
Voor de zekerheid zetten ze Ollie en Flap in de boom. Als de poppenrover dan toch ontsnapt, kan hij ze niet pakken.
Daarna gaan de kinderen verder met vuilnismannetjes zoeken. Ze wachten tot ze er nog vijf hebben gevonden. Pas dan mag de vuilnisauto weer vertrekken.
'Dit is nog een mooie,' zegt Mark. 'Hier op de boom!'
Eefje schrikt. Als deze kever in de boom kan klimmen dan kan

de poppenrover het ook. 'We moeten de gevangenis nog steviger maken.' Ze rennen ernaartoe. Maar als ze bij de gevangenis komen, zit er geen kever tussen de steentjes.
'Hij is ontsnapt... Gauw, voordat hij Ollie en Flap vindt.' Eefje en Mark zijn nog nooit zo snel bij de klimboom geweest. Eefje klimt meteen op de tak om Ollie en Flap te pakken, maar het is al te laat. De tak is leeg.
Mark moet huilen. 'Die poppenrover mag Ollie niet opeten.'
Eefje troost haar broertje. 'We moeten hem zoeken. We snijden zijn buik open en halen Ollie en Flap eruit. Net als bij de wolf van Roodkapje.'
Nu wordt Mark weer rustig. Die poppenrover herkennen ze zo, die moet een heel dikke buik hebben. Ze tillen alle takken op en kijken onder de struiken. Ze zoeken zelfs in de schuur, maar nergens zien ze een kever met een dikke buik.
Nu verliest Eefje ook de moed. Hoe moet dat nou? Zonder Flap kan ze niet slapen...

'Misschien heeft hij zich verstopt,' zegt Mark.
'Waar dan?' vraagt Eefje. 'We hebben overal gekeken.' Ze kijkt Mark aan. Is dat wel zo?

Hebben ze overal gekeken? Aan de andere kant van het huis zijn ze nog niet geweest. Ze lopen om het huis heen.
'Daar zijn ze!' juicht Mark en hij wijst naar de waslijn. En daar hangen Ollie en Flap. Maar dat heeft niet de poppenrover gedaan. Ollie en Flap waren zo vies, dat oma ze heeft gewassen. 'Jullie zijn niet opgegeten!' Van blijdschap beginnen Eefje en Mark te dansen.
Maar daarna worden ze weer bezorgd. Want waar moeten Ollie en Flap nu naartoe? Door die enge poppenrover zijn ze nergens in het bos veilig. Alleen thuis, bij mama.
'Ik wil naar huis,' zegt Mark.
Eefje wil ook niet bij opa en oma blijven. Het kan gewoon niet. Ze kunnen Ollie en Flap toch niet laten opeten. Met de armen om elkaar heen zitten ze tegen het hek.
'Hèhè,' zegt opa. 'Daar ben ik weer.' Hij wil de kinderen over

de poppenrover vertellen. Maar als hij de verdrietige gezichten ziet, schrikt hij.
'We willen naar huis,' zegt Eefje.
'Kinderen toch.' Opa streelt hen over hun hoofd. 'Jullie hebben heimwee. Dat snap ik best, hoor. Jullie zijn ook al zoveel nachtjes van huis.'
'We hebben geen heimwee,' zegt Eefje. 'Maar Ollie en Flap durven hier niet meer te blijven. Die zijn bang voor de poppenrover.'
Nu begrijpt opa waarom Eefje en Mark naar huis willen. Hij trekt hen naar zich toe. 'Jullie hebben me helemaal verkeerd begrepen. Die poppenrover eet Ollie en Flap niet op. Een rups kennen jullie wel, hè?'
'Een rups wordt een vlinder,' zegt Eefje.
'Juist,' zegt opa. 'Maar niet zomaar. Eerst gaat hij zich inspinnen en dan wordt hij een pop. En díe poppen eet de poppenrover.'
Eefje en Mark slaken een diepe zucht. Dus ze hoeven helemaal niet bang te zijn voor de poppenrover. Die doet Ollie en Flap niks.

'Joepie!' juichen ze. 'We blijven nog heel lang bij opa en oma.' En aan opa's hand huppelen ze door de tuin.

TOVERKRUID

Hmmm… wat ruikt het lekker in de keuken van opa en oma. Die smikkelgeur komt uit de oven. Eefje en Mark hebben net samen met oma heerlijke broodjes gebakken. Het liefst zouden ze die bolletjes meteen opeten. Maar oma stopt ze een voor een in een mand. Ze doet niet alleen de warme bolletjes erin, maar ook vier hardgekookte eieren en een thermosfles met sinaasappelsap. Het is een heel bijzondere mand. Er zitten plastic bekers in en bordjes en bestek. Het is een picknickmand.
Opa heeft een heel mooi plekje in het bos uitgezocht en daar gaan ze picknicken. Gelukkig hoeven ze niet ver te wandelen. Opa zegt dat het plekje vlakbij is. En dat moet ook, anders worden de bolletjes koud en dat zou zonde zijn.
Eefje en Mark hebben voor Boef ook een broodje gebakken. Een heel speciaal broodje met kippenvelletjes erin. En de twee piepkleine bolletjes die oma nu in de mand stopt zijn voor Ollie en Flap.
Zodra het deksel van de picknickmand dichtgaat, rennen Eefje en Mark met hun knuffel naar de deur. Buiten staat opa

al te wachten. Een paar minuten later lopen ze met Boef het bospad af.
'Die kant moeten we op.' Opa wijst naar een zandvlakte.
Boef rent een heel eind vooruit, maar dat geeft niks. Ze kunnen haar toch niet kwijtraken. In het zand staan afdrukken van haar pootjes. Eefje en Mark vinden het een leuk spelletje om het spoor te volgen.
'Hierheen.' Eefje trekt Mark mee. 'Daar is Boefs spoor, dat zie je toch.'
'Nietes,' zegt Mark. 'Daar moeten we heen.'
Mark heeft gelijk. Maar Eefje heeft ook gelijk. Er lopen twee sporen door het zand. Hoe kan dat nou? Boef kan toch niet naar twee kanten tegelijk zijn gelopen.
'Dit spoor is niet van Boef,' zegt opa. 'De pootjes zijn kleiner en ze staan dichter bij elkaar. Het is het spoor van een konijn.'
Eefje en Mark vinden het spannend. 'Mogen we dat konijnenspoor volgen?'
Opa vindt het goed. 'Zo komen we er ook.' En hij roept Boef.
Zodra Boef aan komt rennen, gaan ze verder. Aan het eind van de zandvlakte houdt het spoor op.
Mark rent naar een bergje in het mos. 'O, allemaal dropjes. Mogen wij die dropjes oprapen, opa?'
Eefje schiet in de lach. 'Eet jij die dropjes maar lekker op. Die komen niet uit de dropfabriek, maar uit een

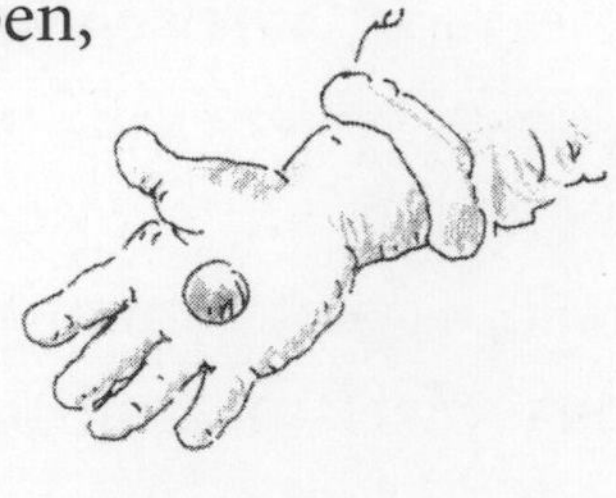

konijnenkontje. Jammie, heerlijke konijnenkeuteldrop.'
Mark trekt een vies gezicht. 'Ik lust geen konijnenkeuteldrop.'
'Juist lekker!' Eefje houdt haar mond vlak boven de keutels en doet net of ze een hap neemt. Mark doet haar na. 'Hmmm... lekker zout...' En dan moeten ze allebei lachen.
'Ik ga een konijnenhol zoeken,' zegt Mark.
Eefje heeft er al een ontdekt. 'Hier is er nog een en hier...'
Opa legt uit dat verschillende ingangen van hetzelfde hol zijn. En dat er onder de grond allemaal gangen zijn, met heel veel kamertjes.
'Wat doen ze dan met die kamertjes?' vraagt Eefje.
'Daar wonen allemaal konijnen in,' zegt opa. 'En je kan heel makkelijk van de ene gang naar de andere komen. Konijnen wonen met de hele familie bij elkaar.'
Dat lijkt Mark en Eefje pas leuk. Die willen ook wel met de

hele familie in een hol onder de grond wonen. Mark pakt opa's hand. 'Als mama dan een mopperbui heeft, gaan we lekker naar jouw hol toe. En dan kan jij ons elke avond in je hol een verhaaltje vertellen, opa.'
'Dan ging ik elke ochtend bij jullie in bed,' zegt Eefje. 'En als mama spruitjes eet, ging ik gauw naar het hol van opa en oma.'
Ze willen nog veel meer verzinnen. Maar oma's stem klinkt vanachter de struiken. 'Wie komt er in mijn holletje picknicken?'
'Ikke...'
'Ikke...' Ze rennen naar oma toe. Oma heeft het tafelkleed op het mos uitgespreid. De bordjes en bekertjes staan al klaar.
Opa trekt de schaal broodjes naar zich toe.
'Dat zijn lekkere bolletjes!' en hij begint te tellen: 'Een, twee, drie, vier, vijf, zes, zeven,

acht... Ja, dat is precies genoeg voor mij.'
'Die zijn niet allemaal voor jou, opa,' zegt Mark.
'Nee,' zegt Eefje. 'Wij moeten ook eten.'
'Ik dacht dat jullie buik vol zat met konijnenkeuteldrop.' En opa legt lachend een bolletje op hun bord.
Gelukkig zijn ze nog warm. Ze smaken heerlijk. Eefje en Mark zijn heel trots op hun werk. Ze nemen kleine hapjes dan doen ze er lekker lang mee.
'We hebben Boef vergeten,' zegt Eefje.
'Nee hoor, Boef heeft haar broodje al op.' Oma geeft hun allemaal nog een ei. Eigenlijk houdt Mark niet van ei, maar in het bos smaakt het veel lekkerder dan thuis. Hij eet zijn hele ei op. Er blijven nog vier bolletjes over. 'Wie wil er nog een?' vraagt oma.
Eefje en Mark en opa willen dat wel. Net als ze een hap willen nemen, rent Boef blaffend weg.
'Een konijn!' schreeuwt Eefje. Ze schrikken. Boef heeft het konijn bijna te pakken.
'Pas op, konijn!' Mark wil het konijn helpen, maar dat is al niet meer nodig. Het konijn maakt een heel scherpe bocht, en weg is het. Boef kan niet zo'n scherpe bocht maken. Maar ze kan ook niet meteen stoppen en botst tegen een boom. Eefje en Mark moeten lachen om die domme Boef. Ze vinden het ook een beetje zielig. Vooral als Boef begint te piepen. Eefje neemt de hond op schoot. 'Ze kan niet meer lopen, ze moet naar het ziekenhuis.'

Daar gelooft oma niks van. Ze houdt een kippenvelletje omhoog. 'Kijk eens, Boef!' En Boef springt van Eefjes schoot en stormt op haar af.
'Ze kan zeker niet meer lopen,' lacht oma. 'Ze kan alleen nog rennen.'
'We moeten wel op haar passen,' zegt Eefje. 'Zo meteen vangt ze een ander konijn.'
'Konijnen laten zich niet zo gauw pakken,' zegt opa. 'Ze kunnen niet alleen heel scherpe bochten maken, maar ze waarschuwen elkaar ook als er onraad is.'
'Hoe dan?' vraagt Eefje.
Mark denkt dat hij het weet. 'Dan roept het konijn heel hard: PAS OP!'
Eefje schiet in de lach. 'Konijnen kunnen praten, nou goed. Ik weet al hoe ze elkaar waarschuwen.' Eefje heeft zin om haar broertje voor de gek te houden. 'Ze bellen elkaar vlug op dat er gevaar is.'
'Echt waar? Hebben konijnen telefoon in hun hol?' Mark zou het bijna geloven. Maar dan ziet hij dat Eefje haar lachen niet kan houden.
'Ik zal jullie vertellen hoe ze elkaar waarschuwen,' zegt opa. 'Ze stampen met hun achterpoten op de grond. En dan gaan alle konijnenkopjes in de buurt tegelijk omhoog en… flits! Weg zijn ze.'
'We deden dat we konijnen waren,' zegt Eefje. 'Oma moet ook meedoen.'

'Dat lijkt me geen verstandig idee,' zegt oma. 'Dan eet Boef alle broodjes op.'
'Ik doe wel mee,' zegt opa. 'Ik was opa konijn.'
'En wij waren de kleintjes.' Eefje en Mark zetten hun handen op de grond. Mark komt overeind. 'Het kan helemaal niet, we hebben geeneens een hol.'
'Dit was jullie hol.' Opa spreidt zijn jas op de grond uit. 'Hier moeten jullie onder kruipen. En dit is mijn hol.' Voor zichzelf legt hij ook een jas neer. En dan gaat opa ook op handen en voeten staan. Konijn Eefje en konijn Mark huppelen naar opa toe. 'Mogen we buiten spelen?' 
'Ja,' zegt opa konijn. 'Jullie zijn nu groot genoeg. Jullie zijn geen blote roze konijntjes meer. Jullie hebben al een mooi vachtje. En jullie ogen zijn open. Maar goed opletten, hoor, want er woont hier ergens een stoute hond.'
'Ja opa.' De konijntjes huppelen weg. Ze spelen verstoppertje, maar intussen letten ze wel op opa konijn. Ze zien dat zijn billen omhooggaan en dat hij op de grond begint te stampen.
'Help!' De kleine konijntjes geven een gil van angst. Maar oma schiet in de lach. Het is ook zo'n grappig gezicht: een opa met zijn handen op de grond en zijn billen omhoog die met

zijn voeten op de grond stampt. Als hij klaar is met stampen, verdwijnt hij in zijn hol.
'Vlug!' Konijn Eefje en konijn Mark schieten ook onder de jas. Allebei van een andere kant.

'AU!' Ze botsen keihard met de hoofden tegen elkaar.
'Stommerd!' klinkt het onder de jas. 'Het is jouw schuld.'
'Nietes, jij deed het.' En de konijntjes beginnen te huilen. 'Au, mijn hoofd...'
'Wat hoor ik nou? Huilen de konijntjes? Die moet ik opvrolijken.' En oma vergeet dat ze op het eten zou letten. Ze kruipt onder de jas en neemt de konijntjes op schoot.
Opa konijn komt er ook bij. Oma maakt van haar hand een vuist en begint te zingen:

'In mijn holletje
zit mijn bolletje
en daarop een hanenpluim.
Pluim pluim pluim een hanenpluim,
hier is mijn pink en daar mijn duim.'

De kleine konijntjes hoeven niet meer te huilen. Ze vinden

het een prachtig lied. Oma moet het nog een keer zingen en nog een keer.
'Nu is het genoeg,' zegt opa. 'Ik wil nog een bolletje.'
'Ik ook.'
'Ik ook.' Ze hebben allevier trek in een bolletje en kruipen uit het hol.
Ze rennen naar hun bordjes, maar die zijn leeg. Er liggen alleen nog een paar kruimeltjes. Waar zijn de bolletjes gebleven? Ze zien dat Boef met haar tong langs haar bek gaat. En dan weten ze waar hun broodjes zijn. In Boefs buik.
Ze moeten wel lachen, maar ze zijn ook boos op Boef. Nu hebben zij geen broodjes meer.
'Wat moeten we nu?' Opa kijkt oma aan.
'Haal maar wat toverkruid,' zegt oma.
Opa verdwijnt achter een boom. Een paar tellen later komt hij terug met een bosje kruiden in zijn hand.
'Hokus pokus pilatus pas...' Hij zwaait met de kruiden boven de picknickmand. 'Ik wou dat er iets lekkers in de mand zat...'
Zou het geholpen hebben? Eefje en Mark tillen langzaam het deksel op en...
'Een chocoladecake!' roepen ze.
Mark denkt dat opa echt kan toveren. Maar Eefje weet wel beter. Die cake heeft oma stiekem in de mand gestopt.

UILSKUIKENS

Eefje, Mark en Boef lopen door het bos. Het huis van opa en oma kunnen ze niet meer zien. En de klimboom ook niet. Toch zijn ze niet bang dat ze verdwalen. Dat kan ook niet, want opa is bij hen en die kent het bos heel goed. Ze gaan kruiden plukken voor de sla, dat hebben ze oma beloofd. Ze hopen dat ze onderweg een fazant zien. Daarom praten ze niet. Ze zagen net ook een bosmuis bij de struiken. Heel stil slopen ze ernaartoe. Toen ze vlakbij waren moest opa niezen en... weg was de bosmuis. Opa moet de hele tijd niezen, dat komt doordat hij verkouden is.
'Brrr...' Eefje wijst griezelend naar een bergje krioelende rode mieren. Ze probeert ze te tellen. Maar dat gaat niet. Het zijn er wel duizend.
Mark wijst naar zijn schoen. 'Daar loopt er een.'
'Hij gaat je schoen poetsen,' lacht Eefje.
Opa veegt de mier van Marks schoen af.
'Waarom moet dat lieve schoenpoetsertje weg?' vraagt Eefje.
'Het is een rode bosmier,' zegt opa. 'Die bijten soms.'
'Haha, dan bijt ik lekker terug,' zegt Eefje.

Lachend lopen ze verder. Jammer genoeg komen ze geen fazant tegen.
'Zien jullie dat hol in die boom?' vraagt opa.
'Ik weet al wie daar woont,' zegt Mark. 'De boswachter.'
Eefje en opa schieten in de lach. Hoe kan zo'n grote boswachter nou in de boom wonen.
'In dat hol woont een dier,' zegt opa.
'Dan weet ik het al,' zegt Mark. 'Er woont een beer.'
'Dat kan niet.' Opa steekt een sigaartje op. 'In het bos wonen geen beren. Die kom je niet tegen in ons land. Alleen in de dierentuin.'

‘Welles,’ zegt Eefje. ‘Je kan een beer tegenkomen. Hoor maar.’
En ze begint te zingen:

‘Uit Artis is een beer ontsnapt, een beer ontsnapt?
Ja, een beer ontsnapt. Hij heeft bij Albert Heyn gegapt.
Tjonge wat een boef!
Een honingpot en een krentencake
en zuurtjes voor een hele week;
een groot pak sprits voor bij de thee,
dat nam-ie allemaal mee.
Nu ligt hij languit op zijn rug, op zijn rug?
Ja, op zijn rug. Hij wil nooit meer naar Artis t’rug.
Tjonge wat een boef!’

Opa klapt in zijn handen. ‘Wat een prachtig lied. Maar die ondeugende beer kan niet in dit hol wonen. Zo groot is het nou ook weer niet.’
‘Er past wel een tijger in,’ zegt Mark. Op het moment dat hij het zegt, schrikt hij. ‘Ik vind het eng dat daar een tijger woont…’
‘Woont er een tijger in de boom?’ Nu moet Eefje nog harder lachen. ‘Een krokodil, nou goed.’ Eefje gaat nog een tijdje door met grapjes maken. Maar wie er echt in dat hol woont weten ze niet.
Opa helpt hen een beetje. ‘Het is een vogel. Een heel grote vogel, een roofvogel. Nu slaapt hij. Maar als het avond wordt, slaat hij zijn vleugels uit. En dan zweeft hij onhoorbaar door het donker. Weten jullie het nu?’
Eefje en Mark denken na. Wat zou dat voor vogel zijn?

'Soms maakt hij een geluid,' zegt opa. 'Oehoeoe... doet hij dan...'
Eefje raadt het meteen. 'Een uil!'
Opa knikt.
Eefje en Mark kijken vol spanning naar het hol. Ze hebben nog nooit een uil in het echt gezien. Alleen maar op de televisie. Ze weten wel hoe hij eruitziet. Hij heeft een plat gezicht en grote ronde ogen. En klauwen met scherpe nagels.
'Hatsjie...' Opa moet weer niezen. Eefje en Mark hopen dat de uil van het lawaai wakker wordt. Maar het blijft stil in het hol.
'Hoe weet je eigenlijk dat hier een uil woont?' vraagt Eefje.
Opa wijst naar een soort balletje op de grond. 'Dat is een uilenbal.'

'Gadsie!' Mark houdt zijn neus dicht. 'Wat een poepkont is die uil, zeg!'
Opa schudt zijn hoofd. 'Dat heeft hij niet uitgepoept, het komt uit zijn bek. De uil heeft de bal uitgespuugd.'
Eefje wroet met een stokje in de uilenbal en schrikt. 'De uil heeft per ongeluk zijn tanden uitgespuugd.'
'En zijn botjes,' zegt Mark.

'Die tanden en botjes zijn niet van de uil,' zegt opa. 'Maar van een muis. Uilen eten muizen. Ze lusten alleen het vlees. De rest spugen ze uit.'
'Ik wou dat ik die uil kon horen,' zegt Eefje.
'Dat gebeurt vast wel een keer. Als je vanavond in bed ligt en je bent heel stil dan kun je hem horen roepen.' Opa kijkt op zijn horloge. 'We moeten terug, jongens. Het is tijd om te eten.'

'En?' vraagt oma als ze binnenkomen. 'Waar zijn mijn sla-kruiden?'
'O...' Eefje, Mark en opa slaan hun hand voor hun mond.
'Helemaal vergeten,' zegt opa. 'Het was ook zo'n bijzondere wandeling. We hebben een uilennest ontdekt.'

Oma schudt haar hoofd. 'Jullie zijn uilskuikens. Nou ja, dan maak ik wel wat anders. Ik heb nog spruitjes liggen.'
Eefje en Mark trekken een vies gezicht. Ze lusten geen spruitjes.
'Mijn spruitjes vinden jullie vast wel lekker,' zegt oma. 'Die zitten verstopt in de kaas. Wachten jullie maar af.'
Eefje en Mark hebben spijt dat ze niet aan de slakruiden hebben gedacht. Ze ruiken de spruitjes al. Bah, denken ze.
Met tegenzin gaan ze aan tafel zitten.
'Nou?' vraagt oma als ze een hap nemen.
Eefje slikt de kaas door. Maar de spruit spuugt ze uit.
'Eefje toch,' zegt opa. 'Je mag je eten niet uitspugen.'
'Wel hoor,' zegt Eefje. 'Oma zegt dat we uilskuikens zijn. Nou, dit is mijn uilenbal.'

‘En dit de mijne.’ Mark spuugt ook gauw zijn spruit uit.
Gelukkig is oma niet boos. Ze bakt een paar pannenkoeken voor hen. Die lusten ze tenminste. En het toetje vinden ze helemaal heerlijk. Ze krijgen ijs met aardbeien en slagroom.
Het is al laat. Na het eten moeten Eefje en Mark zich wassen en tanden poetsen.
‘En nu naar bed,’ zegt oma als ze in hun pyjama beneden komen. ‘Of zal ik nog een beker warme melk voor jullie maken?’
‘Nee, dat moet juist niet. Dan vallen we in slaap en we moeten wakker blijven. We willen de uil horen.’ Eefje en Mark rennen met Boef naar boven.
Ach, denkt oma als ze hen instopt, die vallen zo vanzelf wel in slaap. Maar als ze na een half uurtje gaat kijken zijn ze nog klaarwakker.
‘Jullie moeten nu echt gaan slapen,’ zegt oma. ‘Anders zijn jullie morgen te moe. Misschien komt de uil niet eens.’
‘Hij komt wel.’ Eefje en Mark weten het zeker. ‘Opa heeft het zelf gezegd.’
Oma gaat hoofdschuddend naar beneden.
‘En? Slapen ze al?’ horen ze opa vragen.
‘Was het maar waar.’ Oma’s stem klinkt een beetje boos. ‘Het is jouw schuld. Waarom zeg je nou zoiets? Je lost het zelf maar op, want ik moet weg.’
Een paar minuten later horen ze oma wegrijden.
Stilletjes liggen Eefje en Mark naast elkaar te luisteren.

‘Hoor jij de uil al?’ vraagt Mark na een poosje.
‘Nee,’ zegt Eefje. ‘En jij?’
Nee, wil Mark zeggen. Maar juist op dat moment hoort hij hem. En Eefje ook. Oehoeoe... klinkt het in de tuin.
‘De uil!’ Ze schieten naar het raam. Vol spanning turen ze de schemering in, maar ze zien geen uil. Toch is hij in de buurt. Oehoe... oehoe... horen ze en het komt van de klimboom vandaan. Hun ogen glijden over alle takken, maar ze zien geen uil.
‘Kijk nou!’ Eefje stoot Mark aan. Achter de klimboom vandaan komen kringeltjes rook. Mark en Eefje weten niet wat ze daarvan moeten denken. Zit de uil soms stiekem achter de boom een sigaartje te roken? Oehoeoeoe... horen ze weer. En dan... Hatsjie! Op hetzelfde moment piept opa’s hoofd achter de boom vandaan. Hij pakt zijn rode zakdoek uit zijn zak en snuit zijn neus. Eefje en Mark kijken elkaar aan. Er zit helemaal geen uil in de tuin. Het is opa die een uil nadoet.
‘Hij denkt zeker dat we nu gaan slapen,’ zegt Eefje. ‘Mooi niet.’
En ze fluistert een plan in Marks oor.
‘Ja!’ Achter elkaar sluipen ze de trap af. Ze gaan voor de voordeur staan. Hatsjie! Dat moet opa zijn. Het genies komt steeds dichterbij. Ze duwen tegen de voordeur.
‘Je mag niet naar binnen,’ roepen ze als opa de deur open wil doen. ‘Je moet de hele nacht buiten blijven.’
‘En hoe moet ik dan slapen?’ vraagt opa.
‘Uilen slapen niet ’s nachts,’ zegt Eefje. ‘Je moet een muisje

vangen met je grote klauwen en opeten met je scherpe snavel.'
Ze moeten er zelf om lachen. Maar opa doet net of hij moet huilen. 'Mag ik alsjeblieft binnenkomen? Ik zal jullie nooit meer foppen. Echt niet.'
'Goed dan.' Ze doen de deur voor opa open.
'Om het goed te maken vertel ik jullie een verhaal over een uil.'
'Jaaa!' Ze klimmen bij opa op schoot.
'Er was eens...'
'Stil!' zegt Eefje.
Oehoeoeoe... horen ze. Eerst zachtjes en dan harder. Ze kijken naar opa, maar die doet het niet. Opnieuw rennen ze naar het raam. In de verte zien ze twee grote gespreide vleugels. De vleugels landen boven in de eik. Grote ronde ogen kijken hen aan. En voor het eerst van hun leven zien Eefje en Mark een echte uil.

SLIMME VOSJES

Oma zit aan de keukentafel. Ze maakt een boodschappen-lijstje. De kinderen horen haar zuchten. 'Wat moeten we nu weer vanavond eten?'

Eefje en Mark weten het wel.
'Pannenkoeken, oma!'
Oma schudt haar hoofd. 'We kunnen niet steeds pannenkoeken eten. Dat is niet gezond. Als mama dat hoort, krijg ik op mijn kop.'
'Dan zeggen we toch niks tegen mama. Wij kunnen heel goed geheimpjes bewaren, hè Mark?'
'Ja, heel goed juist,' zegt Mark.
'Want we hebben ook niet verraden dat Boef...'
Eefje geeft Mark een duw. Gelukkig houdt hij meteen zijn mond. Oma mag niet weten dat Boef elke nacht bij hen in bed slaapt.
'Ah oma, mogen we pannenkoeken?' vraagt Eefje weer.
Oma laat zich niet overhalen. 'Nee,' zegt ze beslist. 'Ik bedenk

zelf wel wat we gaan eten. Gaan jullie maar spelen.'
Eefje en Mark zeuren niet langer. Het helpt toch niks. Ze halen Ollie en Flap van boven en gaan naar buiten.
Ze durven veel verder het bos in dan een paar dagen geleden. Want ze kennen de weg nu al goed. Maar ze mogen niet echt ver weg. Opa en oma moeten hen kunnen zien.
'Dit is mijn verst.' Eefje gaat aan de rand van het bospad staan.
'Dit is míjn verst.' Mark doet een stap het bos in.

'Ik kan nog verder, kijk maar.' Midden in haar stap blijft Eefje staan. 'Wat een lieve hond loopt daar!'
Mark denkt dat de hond is verdwaald.
Eefje vindt het ook zielig. 'Hij heeft vast honger. Ik ga een hondenkoekje voor hem halen.'

‘Ik ook.’ En ze rennen terug naar huis.
‘Boef heeft al een koekje gehad, jongens,’ zegt opa als ze de trommel met hondenkoekjes uit de kast halen.
‘Het is niet voor Boef,’ zegt Eefje. ‘Er loopt een heel zielige hond op het pad.’
Die wil opa zien. Maar als ze buiten komen, is het dier weg.
‘Daar liep-ie.’ Eefje vertelt opa hoe de hond eruitzag. ‘Hij was roodbruin met een wit befje.’
‘En hij had een heel dikke pluimstaart,’ zegt Mark. ‘Veel dikker dan Boef en er zat een wit puntje aan.’
Opa haalt binnen een boek. Het staat vol foto’s van dieren die in het bos wonen. Ze zien een hert en een roodborstje.
‘Dit is ’m!’ zegt Eefje. ‘Zo zag die hond eruit.’
‘Dat dacht ik al,’ zegt opa. ‘Jullie hebben geen hond gezien, maar een vos. Dat is geluk hebben. Bijna niemand krijgt een vos te zien. Die kippendief verstopt zich voor de mensen.’
‘Kippendief?’ vragen ze.
Opa knikt. ‘Als een vos honger heeft, sluipt hij stiekem het erf van een boer op. Daar steelt hij een kip en sleept het beest mee naar zijn hol. Zal ik jullie zo’n vossenhol laten zien?’
‘Jaaa, lekker spannend!’ roepen Eefje en Mark. En een paar minuten later huppelen ze elk aan een hand van opa door het bos.

Het vossenhol is niet ver. Toch doen ze er heel lang over. Er is ook zoveel te zien. Ze komen een Vlaamse gaai tegen. Dat is een grote vogel met prachtig blauwe veren. En daarna zien ze het kleinste vogeltje van het bos, een winterkoninkje. Ze horen heel veel gefluit. Af en toe blijven ze staan om te luisteren. En ineens horen ze iets geks. Koekoek... koekoek. Eefje en Mark snappen er niks van. Staat er een koekoeksklok in het bos? Koekoek, koekoek. Hoe kan dat nou weer? Het geluid komt steeds dichterbij. Een koekoeksklok kan toch niet vliegen?

'Het is geen klok,' zegt opa. 'Het is een vogel. En die vogel roept zijn eigen naam. Hoe denken jullie dat hij heet?'

Eefje en Mark denken na. Koekoek, klinkt het weer, koekoek. En dan weet Eefje het. 'Het is een koekoek.'

'De koekoek is een luilak,' zegt opa. 'Ze is nog te lui om voor haar eigen kinderen te zorgen. De koekoek legt stiekem haar eieren in het nest van een andere vogel. Die moet dan voor haar jonkies zorgen.'

'Nou zeg!' Eefje en Mark vinden die koekoek wel de grootste luilakbol van de wereld.

Ze lopen nog een stukje verder en dan zijn ze er. 'Dit is nou een vossenhol,' zegt opa.

Eefje en Mark kijken. Het is veel groter dan een konijnenhol.

'Hier woont die slimme vos,' zegt opa. 'De slimmerik heeft wel vier of vijf uitgangen gegraven. Het kan best zijn dat hij ons nu hoort. En dan wordt hij nieuwsgierig en rent gauw naar een andere uitgang. Misschien staat hij nu wel naar ons te koekeloeren.'

Mark vindt het een beetje eng, maar Eefje moet lachen om die brutale vos.
Samen bekijken ze het hol. 'Woont die vos hier ook met de hele familie, net als de konijnen?' vraagt Mark.
'Nee,' zegt opa. 'Een vos woont helemaal alleen. Behalve als er kleine vosjes zijn. Het is nu voorjaar. Je hebt best kans dat er jonkies in het hol zitten. Soms mogen ze van de moeder even buiten spelen.'
'Vosjes, kijk eens wat leuk,' roept Eefje. 'Ollie en Flap willen met jullie spelen. Kom dan?' En ze duwt de knuffels een stukje het hol in.

'De kleine vosjes kunnen Ollie en Flap niet zien,' zegt opa. 'De vos heeft heel lange gangen gegraven en aan het eind daarvan, heel diep onder de grond, is het hol.'

Ze blijven nog even staan kijken, maar dan gaan ze terug.
'Luister,' zegt opa. 'Ik zal jullie een echt vossenverhaal vertellen. Heel lang geleden kwam er een visboer langs met een kar vol vis. Hmmm, dacht de vos, ik heb honger. En hij bedacht een slim plan. Hij ging gauw op de grond liggen en deed net of hij dood was. De visboer tilde de vos op zijn kar. En toen heeft die slimme vos alle vis opgegeten.'

'Ik wou dat ik ook een slimme vos was,' zegt Mark als ze thuiskomen. 'Dan fopte ik oma en ging ze toch pannenkoeken bakken.'
'Wij kunnen toch ook iets slims bedenken,' zegt Eefje. 'Net zo slim als de vos die de visboer fopte.' Eefje neemt Boef en Mark mee naar zolder. Want oma mag hun plan niet horen natuurlijk.

Na een tijdje komen ze de zoldertrap af. Maar wat is dat nou? Ze lijken helemaal niet meer op Eefje, Mark en Boef. Er komt een hondje naar beneden met een oud dametje en een oud meneertje achter zich aan. Het meneertje heeft een opa-hoed op. De opa-jas is zo lang dat hij er bijna over struikelt. Het is maar goed dat hij een wandelstok heeft. En het dametje heeft een oude bloemetjesjurk van oma aan. Ze heeft ook een hoedje op haar hoofd. En zelfs het hondje heeft een hoed op. Ze tellen tot drie en kloppen dan op de keukendeur.
'Binnen,' roept oma. Maar als ze het drietal ziet, kijkt ze verbaasd op. 'Dag mevrouw, dag meneer.'
'Wij zijn verdwaald,' zegt het dametje. 'Gelukkig zagen we uw huis, want we hebben heel erge honger. Mark eh... ik bedoel: dit oude opaatje valt bijna om van de honger, kijkt u maar.' En ze duwt net zolang tegen Mark aan tot hij zich slap op de grond laat vallen.
Oma schrikt ervan. 'O jee, komt u maar gauw binnen dan maak ik wat te eten. Ik heb heerlijke sperzieboontjes gekocht.'
Mark en Eefje trekken een vies gezicht.
'Dat kunnen wij niet eten,' zegt het dametje. 'Onze tanden zijn heel oud, die breken zo.'
'O, dan weet ik al wat,' zegt oma. 'Ik heb nog bloemkool in huis. Als ik die lang kook, wordt ze lekker zacht.'
Bloemkool, nee toch?
'O nee,' zegt het dametje gauw. 'Bloemkool is veel te veel stinkie-stankie, daar kunnen onze oude neusjes niet tegen.'

‘Wat kunt u dan wel eten?’ vraagt oma.
‘Pannenkoeken,’ zegt het meneertje.
‘En wij kunnen heel goed helpen met pannenkoeken bakken, hoor. Kijkt u maar.’ Het dametje zet een kom, eieren, meel en melk op het aanrecht. Ze kijken oma aan. Zou ze erin vliegen?
‘Dan moeten we maar pannenkoeken eten,’ zegt oma. ‘Daar is niks aan te doen.’
Het dametje en het meneertje zuchten opgelucht. Ze zijn echte slimme vosjes. Nu bakt oma toch pannenkoeken.
‘Opa!’ roept Mark als de pannenkoeken klaar zijn. ‘Eten!’
‘Stommerd!’ Eefje geeft haar broertje een duw. ‘Je verraadt alles. Meneer!’ roept ze gauw. ‘De pannenkoeken zijn klaar!’
En ze gaan aan tafel zitten.
Wat ruiken de pannenkoeken lekker. Ze willen meteen beginnen, maar dat mag niet van oma.
‘Weet u,’ zegt oma. ‘Eefje, Mark en Boef zijn er nog niet. Pas

als die thuis zijn gaan we eten, eerder niet.'
Wat nu? Ze kunnen toch niet op Eefje, Mark en Boef wachten. Dat zijn ze zelf. Maar de slimme vosjes hebben al een oplossing bedacht. 'Wij halen ze wel even.' Ze rennen naar de gang en trekken vliegensvlug hun verkleedkleren uit. Als Eefje en Mark en Boef gaan ze weer naar binnen.
'Daar zijn we.'
'Hebben jullie soms twee oudjes met een hondje gezien?' vraagt oma.
Nee hè, denken Eefje en Mark. Nu moeten we zeker op het oude dametje en het oude meneertje met het hondje wachten. Zo krijgen we nooit een pannenkoek.
'Hahaha... dat waren wij! We hebben je gefopt, oma. Wij waren net zo slim als de vos die de visboer fopte. Goeie mop, hè?'
Oma kijkt naar opa. 'Je had dat slimme vossenverhaal nooit mogen vertellen.'
Maar Eefje en Mark zijn juist blij dat opa het heeft verteld. Als de pannenkoeken op zijn, gaan ze weer een vossenstreek verzinnen. Ze weten al wat ze voor elkaar willen krijgen. Dat ze heel lang mogen opblijven vanavond. En de slimme vosjes weten bijna zeker dat het hun gaat lukken.

HEIMWEE

Het is al avond. Eefje en Mark zitten aan tafel. Ze hebben elk een tijdschrift voor zich. Het staat vol dieren. Ze zoeken de dieren op die ze in het bos hebben gezien en knippen die uit.
'Ja, een uil, die had ik nog niet.' Eefje pakt de schaar en begint te knippen. Ze plakt de uil in het boekje dat ze zelf heeft gemaakt. 'Nu heb ik alle dieren die ik heb gezien,' zegt ze blij.
'Ik niet.' Mark zit druk te bladeren. 'Ik moet nog een vos hebben.'
Eefje helpt hem zoeken. Ze bladeren de tijdschriften twee keer door, maar ze vinden geen plaatje van een vos.
'Dat vind ik niet eerlijk.' Mark kijkt naar de lege plek in zijn boekje. 'Nou heb ik geen vos en jij wel.'
'Waar wil je de vos plakken?' vraagt oma.
'Hier.' Mark wijst naar een lege bladzij.
Oma pakt een potlood en begint te tekenen. Eefje en Mark kijken vol spanning mee. Ze klappen in hun handen als de vos af is. Oma kan wel heel knap tekenen. Het lijkt net een echte vos. Mark moet hem nog wel kleuren. Eefje mag hem helpen.
Als ze klaar zijn, bladeren ze trots hun boekje door. Wat

hebben ze al veel dieren gezien!
Opa en oma bekijken de boekjes ook. En dan is het tijd om naar bed te gaan.
'Ik leg mijn boekje onder mijn kussen,' zegt Eefje. 'Dan ga ik van de dieren dromen.'
'Ik wil ook van dieren dromen.' Mark neemt zijn boekje ook mee naar boven.
'Ik weet al van welk dier ik ga dromen,' zegt Mark als ze in bed liggen. 'Van een poes.'
Eefje snapt er niks van. 'Er staat toch helemaal geen poes in ons boekje.'
'Nog niet,' zegt Mark. 'Maar morgen vraag ik of opa mij een poezenhol laat zien.'
Eefje moet lachen. 'Dat kan helemaal niet. In het bos wonen geen poezen.'
'Hè,' zegt Mark teleurgesteld. 'Ik wil een poes zien.'
'Ik weet waar je een poes kunt zien,' zegt Eefje.
Mark gaat meteen rechtop zitten. 'Waar dan?'
Eefje zet een geheimzinnige stem op. 'Ergens heel ver hier vandaan is een huis waar een poes woont. Een heel lieve poes.'
Mark wordt nieuwsgierig. 'Welk huis?'
'Raad maar,' zegt Eefje. 'In dat huis woont ook een hamster en die hamster heet Hammie.'
'Zo heet onze hamster ook!' roept Mark blij.

‘O.’ Eefje gaat gewoon door. ‘En in dat huis wonen ook een mama en een papa. De liefste mama en papa van de wereld.’
Nu weet Mark welk huis Eefje bedoelt. Hun eigen huis. En de poes heet Snoetje. Mark denkt aan mama en begint te huilen.
‘Ik wil een nachtkusje van mama, anders kan ik niet slapen.’
‘Kom maar, dan krijg je wel een kusje van mij.’ Eefje geeft haar broertje een zoen op zijn wang. Maar het helpt niet. De tranen blijven stromen. ‘Ik wil naar mama toe…’
Ineens mist Eefje mama ook heel erg. ‘Ik wil ook naar mama toe… Opa moet ons naar mama brengen…’ Huilend komen ze de zoldertrap af.
‘Wat is dat nou?’ Oma trekt hen op schoot. ‘Hebben jullie zo’n heimwee?’

Opa haalt een glaasje water. Daar worden ze al wat rustiger van.
'Nu is het te laat om jullie helemaal naar huis te brengen,' zegt opa. 'Maar als jullie morgenochtend nog heimwee hebben, breng ik jullie weg. Het is natuurlijk wel jammer, want jullie hebben nog niet alle dieren gezien.'
'We hebben nog geen olifant gezien,' zegt Mark.
'Olifanten leven niet in het bos,' zegt Eefje.
Mark noemt nog een dier op dat ze niet hebben gezien. 'Een aap.'
'Wel hoor, je hebt wel een aap gezien. En je ziet hem nog steeds en ik ook.' Eefje wijst op opa. Nu moet Mark lachen.
'Haha... opa is een aap...'
'Dan moet je wel in ons boekje,' lacht Eefje.
'Ja.' Mark rent de trap op om de boekjes te halen. 'Hier komt de aap, hier plak ik een foto van jou, opa.'
'En ik hier,' zegt Eefje.
'Jullie krijgen lekker geen foto van mij,' plaagt opa. 'Dus het gaat niet door.'
Maar Eefje en Mark geven niet op. 'Oma moet je natekenen,' zeggen ze. En ze rennen naar de kast om een potlood te halen.
'O nee,' zegt opa. 'Ik weet zeker dat oma dat niet doet, hè oma?'
Maar oma doet het wel. Ze pakt lachend het potlood en tekent opa na.
Nu zijn Eefje en Mark niet meer verdrietig. Het is ook zo

grappig, het gezicht van opa tussen al die dieren.
'Opa,' zegt Eefje als ze uitgelachen zijn, 'weet je wat ik niet snap? Dat we nog nooit een hert hebben gezien.'
'Herten rusten overdag,' zegt opa. 'Pas als het begint te schemeren gaan ze op pad. Maar ik weet een plek waar herten drinken.' Opa's ogen beginnen te glimmen. 'Wat denk jij, oma, zouden ze nog even mee kunnen naar de drinkplaats of zijn ze te moe.'
Eefje en Mark kunnen hun oren niet geloven. Meent opa dat echt? Wil hij nu met hen naar de herten gaan kijken? Nu ze eigenlijk in bed moeten liggen?
'Ik ben niet moe, kijk maar.'
Mark rent op zijn hardst een rondje door de kamer.
'En ik ook niet.' Eefje hinkelt achter hem aan.
'Vooruit dan maar,' zegt oma.
'Kleden jullie je maar snel aan.'
'Hoera!' Eefje en Mark hollen de trap op. Ze hebben zich nog nooit zo snel aangekleed. Zingend komen ze beneden. 'Wij hoeven lekker niet naar bed... retteketet... retteketet...'

'Luister,' zegt opa. 'In het bos moeten jullie heel stil zijn. Anders gaan de dieren op de vlucht. Daarom moet Boef bij oma blijven.'

Eefje en Mark vinden het juist spannend om alleen met opa het bos in te gaan.
'Wij hoeven lekker niet naar bed… retteketet… retteketet…'
Nu mogen ze nog zingen, maar zodra opa de voordeur opendoet, houden ze hun mond stijf dicht.

Allebei aan een kant van opa lopen Eefje en Mark het bospad af. Ze voelen zich wel stoer. In plaats van dat ze in bed liggen, lopen ze door het bos.
Het is nog licht. Je zou denken dat het doodstil in het bos zou zijn omdat het avond is. Maar het is juist een enorm spektakel. Dat komt door de vogels. Ze zingen allemaal hun laatste lied voor ze gaan slapen.
Af en toe schrikken Eefje en Mark van een tak die onder hun voeten kraakt.
'We zijn er bijna,' fluistert opa. 'Daar is de drinkplaats.'
Eefje en Mark krijgen een raar gevoel in hun buik. Stel je voor dat ze echt een hert zien! Ze proberen nog stiller te zijn. Voetje voor voetje sluipen ze dichter naar het bosmeertje toe. Een eindje van de drinkplaats af blijven ze achter een boom staan.
Eefje voelt een kriebel in haar neus. Ze is bang dat ze moet niezen. Maar gelukkig gaat het weer over.
Na een tijdje beginnen ze ongeduldig te worden. 'Nu moet het hert wel eens komen.'
Ineens geeft Eefje een gil. Er valt iets op haar hoofd. Opa raapt een dennenappel op. 'Dit is de boosdoener.' Eefje moet

lachen. Normaal zou ze daar niet van schrikken, maar het is nu zo spannend in het bos. Dat komt ook doordat het al schemerig wordt. Vol spanning kijken ze naar de drinkplaats. En dan knijpen ze in opa's hand. Er komt een dier aan. Maar het is geen hert. Ze denken dat het een varken is. Wat moet een varken nou in het bos? Het is ook geen varken. Het beest heeft alleen een varkenslijf met zwarte haren erop. Aan zijn staart hangt een kwastje en dat hebben varkens niet.
Als Eefje de scherpe slagtanden ziet, kruipt ze dichter tegen opa aan.
'Je hoeft niet bang te zijn,' zegt opa. 'Het is een wild zwijn. Hij kan ons niet zien. Zwijnen hebben hele slechte ogen. Ze kunnen wel goed horen, dus ssst...'
Mark en Eefje volgen met hun ogen het zwijn dat gaat drinken. Maar wat doet hij nou? Hij laat zich in de modder vallen en begint te rollen. Hij ziet er heel vies uit. Hij zit onder de modder. Mark kan het niet helpen, maar hij schiet in de lach. Het zwijn springt op, steekt zijn neus in de wind en holt weg.
'Wat een viespeuk,' lacht Eefje.
'Nee,' zegt opa. 'Een zwijn is geen viespeuk. Hij neemt juist een modderbad om schoon te worden.'
Weer wat nieuws.
Eefje en Mark denken dat opa hen

voor de gek houdt. Van modder word je toch juist vies?
'Alle viezigheidjes van zijn lijf blijven aan de modder plakken,' legt opa uit. 'Het zwijn laat de modder opdrogen. Na een tijdje valt de droge modder eraf, met de viezigheid erin.'
Dat vinden Mark en Eefje wel handig bedacht.
'Nou jongens,' zegt opa. 'Het was een mooie moddershow, maar ik ben bang dat de herten vanavond niet komen drinken.'
Eefje en Mark vinden het wel jammer. Nu kunnen ze geen plaatje van een hert in hun boek plakken. Op het moment dat ze weg willen lopen zien ze iets bewegen. Eefje en Mark houden hun adem in. Met open mond kijken ze naar de drinkplaats. Er staat een hert met een jonkie. Het is een vrouwtjeshert, dat kunnen ze zien. Ze heeft geen gewei op haar kop. Opa fluistert dat de kleine een jongetjeshert is. Er zitten al knobbels op zijn kop. Hij vertelt hun dat het niet zijn echte gewei is. Op een dag vallen de knobbels eraf en pas volgend jaar komt het echte gewei. Eefje wijst naar de lege plek in haar mond. Opa begrijpt wat ze bedoelt. Eefjes tand is er ook uitgevallen. Over een tijdje komt pas haar echte tand. Ze kunnen hun ogen niet van de twee dieren afhouden. Het is

ook zo'n lief gezicht. Het moederhert begint te drinken. Het jong kijkt er heel goed naar. En dan doet hij zijn moeder na. Gelukkig hoeven ze niet van de spanning te lachen, anders zouden de dieren op de vlucht slaan. Eefje en Mark kunnen er niet genoeg van krijgen. Maar ze moeten gaan, het begint donker te worden.

'Mogen we het zwijn en het hert nog in ons boek plakken, oma?' vragen ze als ze thuiskomen.

'Ik help jullie wel even.' Samen met oma bladeren ze het tijdschrift door. Ze hoeven niet lang te zoeken. Op de tweede bladzij staat al een hert. En een wild zwijn vinden ze ook zo.

'En?' vraagt oma als ze de kinderen in bed stopt. 'Moet opa jullie morgenochtend naar huis brengen?'

'Nee,' zeggen ze. 'We willen niet naar huis, ons boek is nog niet vol.'

Oma geeft hun een kus en gaat weg.

Eefje knipt stiekem het lampje boven het bed aan. 'Je moet zeggen welk beest je het liefste vindt en die moet je een zoentje geven.'

Ze bladeren in hun boek. Het duurt niet lang voor ze een keuze hebben gemaakt. 'Ik vind de aap het liefst.'

'Ik ook,' zegt Eefje. En ze drukken allebei tegelijk een zoen op het portret van opa.

DE KABOUTER

Nog een paar uurtjes en dan is de logeerpartij voorbij. Opa is naar het dorp. Als hij straks terugkomt, brengt hij Eefje, Mark en Boef naar huis.
De kinderen zijn buiten. Ze hopen dat ze nog één diertje zien, want dan is hun boek vol. Gisteren hadden ze geluk: ze zagen

een fazant, een ekster en een vlinder. Toen konden ze drie plaatjes in hun boek plakken. En nu is er nog één leeg blaadje over.
'Hier is een dier!' Mark zit bij de regenton.

Eefje komt meteen aangerend. 'Waar dan?'
'Daar zit-ie.' Mark wijst in de regenton. 'Zie je wel, dat dier hebben we nog niet.'
Eefje klapt in haar handen. 'Wat knap van jou! Het is een heel bijzonder dier.'
Mark kijkt zijn zus trots aan. 'Ik zag hem zomaar.'
Eefje knikt. 'Weet je hoe dat dier heet? Het tenenkaas-monster.'
Het tenenkaas-monster? Daar heeft Mark nog nooit van gehoord.
'Hij stinkt naar tenenkaas. Ruik maar.' Eefje vist het tenen-kaas-monster met een takje uit het water en houdt het onder Marks neus.

Nu moet Mark lachen. Het is helemaal geen dier wat hij heeft ontdekt. Het is een oude sok van opa.
Eefje vindt er niks meer aan om een dier te zoeken. 'We gaan met ons speeltuintje spelen, goed?'
Daar heeft Mark ook veel meer zin in. Ze hebben gisteren voor Ollie en Flap van stenen en takken een speeltuintje gemaakt. Het staat onder de klimboom.
'Nou zeg!' Als Eefje het speeltuintje ziet, wordt ze boos. 'Je hebt alles veranderd. De schommel stond hier en de wip...'
'Nietes,' zegt Mark. 'Dat heb ik niet gedaan. Weet je wie dat gedaan heeft? Opa. Die heeft vannacht stiekem geschommeld.'
'Dat kan nooit,' lacht Eefje. 'Opa past toch niet met zijn dikke billen in dat piepschommeltje.'
Daar had Mark nog niet aan gedacht. 'Dan heeft iemand anders ermee gespeeld. Misschien een muis.'
Eefje gelooft het niet. 'Dieren houden niet van schommelen. Alleen kinderen houden ervan...' Op hetzelfde moment komt er een liedje in haar hoofd. 'Ik weet wie schommelen nog meer leuk vindt.'
'Wie dan?'
'Luister maar.' En Eefje begint te zingen:

> 'Op een mooie paddestoel
> rood met witte stippen
> zat kabouter Spillebeen
> heen en weer te wippen...

Weet je nou wie ik bedoel?'
'Een kabouter.' Mark krijgt er een kleur van. 'Er heeft een kabouter in ons speeltuintje gespeeld.' Hij rent weg.
'Wat ga je doen?' vraagt Eefje.
'Mijn boek halen,' zegt Mark. 'Ik teken een kabouter in mijn boek.'
'Dat mag niet, we moeten hem eerst zien. Kom mee, dan gaan we een plan uitdenken.' Eefje neemt Mark mee naar de schuur. Want die brutale kabouter mag hen niet afluisteren.
'We maken ons speeltuintje eerst weer goed,' zegt Eefje.
'Daarna verstoppen we ons achter de struiken. En dan kijken we of de kabouter eraan komt.'

Mark rent meteen naar het speeltuintje terug.
'Ziezo,' zegt Eefje even later zo hard dat de kabouter het wel moet horen. 'Ons speeltuintje is weer netjes. Krik-krak-slot.' En ze doet alsof ze het deurtje vergrendelt.
'Zie jij al wat?' vraagt Mark als ze achter de struiken zitten.
Eefje schudt haar hoofd. 'Zo komt hij nooit. We moeten veel verder weg.'
Mark rent helemaal naar het eind van het bospad. 'Hier kan-ie ons nooit zien.'
'Nee.' Eefje moet lachen. 'De kabouter kan jou niet zien, maar jij kunt de kabouter ook niet zien. Je bent veel te ver. Ik weet iets veel beters.' Eefje fluistert haar plan in Marks oor. En dan rennen ze naar Boef.
'Jij was de baas van de speeltuin,' zegt Eefje. 'Jij moest kijken of de kabouter eraan komt. En dan moest je ons waarschuwen.'
Ze nemen Boef mee naar de klimboom. Zelf verstoppen ze zich achter het huis. Om de beurt gluren ze om het muurtje.
'Zie je al wat?' vraagt Eefje als Mark zijn hoofd om het muurtje steekt.
Mark ziet zeker iets. En Eefje ook. Maar het is niet de kabouter. Het is Boef. Ze legt piepend een tak voor hen op de grond. Ze wil dat de kinderen hem weggooien.
'Domme Boef,' zegt Mark. 'Dat is onze wip. We gaan toch niet met de wip van ons speeltuintje gooien?'
'Je moet op de speeltuin passen,' zegt Eefje. 'Je moet hem niet

kapotmaken. En je mag ook niet weglopen. We binden je vast. Dan kan je niet weg.' En Eefje haalt een touw uit de schuur. Mark maakt het aan Boefs halsband vast. Het uiteinde knopen ze aan de klimboom.
'Als je de kabouter ziet, moet je blaffen,' zegt Eefje. 'En dan komen wij er vlug aan, goed?'
Ze laten Boef bij de klimboom achter. Boef vindt het prima. Ze gaat rustig liggen, met haar neus naar de speeltuin toe. Eefje en Mark rennen een heel eind van de klimboom vandaan. Dan durft de kabouter tenminste te voorschijn te komen.
'Het is een stom plan,' zegt Mark als er niks gebeurt. 'De kabouter durft niet te schommelen. Hij is bang voor Boef.'
'Het is juist een heel goed plan,' zegt Eefje. 'Kabouters zijn nooit bang voor dieren. Hij heeft toch ook mijn tand onder mijn kussen weggehaald? En toen was Boef ook thuis. Dus...'
Nu is Mark gerust. Om de beurt gluren ze naar de klimboom. Maar er gebeurt niks. Boef ligt nog steeds op haar plek.
Vol spanning wachten ze af, maar het blijft stil bij de klimboom. Ze willen de moed bijna opgeven als Boef begint te blaffen.
Eefje en Mark sluipen naar de klimboom. Oma doet de achterdeur open. 'Boef toch!' roept ze. 'Je mag niet zomaar in de tuin blaffen!'
Als Eefje en Mark bij de klimboom komen is de kabouter weg.

‘Oma heeft hem laten schrikken,’ zegt Eefje. ‘Maar hij was er wel, hè Boef?’ Eefje houdt haar gezicht vlak bij Boef. ‘Als de kabouter er was, moet je likken.’
Boef geeft Eefje een lik over haar neus. En Mark ook. Nu weten ze zeker dat Boef de kabouter heeft gezien.
‘Hoera, nu mogen we hem in ons boekje tekenen,’ zegt Eefje.
‘Weet je wat stom is,’ zegt Mark. ‘We weten niet hoe die kabouter eruitziet.’
‘Maar Boef wel,’ zegt Eefje.
‘Had-ie een rode muts?’ Nu houdt Mark zijn gezicht bij Boef en… Boef likt.
‘En een lange baard?’ vraagt Eefje. Boef likt weer.
‘Was zijn trui blauw?’ Mark hoopt dat Boef likt. Want blauw is zijn lievelingskleur. ‘Was-ie blauw?’ vraagt hij nog een keer, maar Boef houdt haar bek dicht.
‘Was-ie groen?’ vraagt Eefje. ‘Ja!’ roept ze blij als Boef likt. ‘Nu weten we alles. Nu kunnen we hem tekenen. O nee, ik heb nog een vraag, een héél belangrijke.’ Eefje houdt haar gezicht bij Boef. ‘Had-ie mijn tand bij zich?’
Vol spanning wacht ze af wat Boef doet. Wat is Eefje blij als Boef haar likt.
Ze gaan naar binnen en tekenen een prachtige kabouter in hun boekje, met een rood puntmutsje, een heel lange baard en een groene trui. En de kabouter van Eefje is helemaal bijzonder. Die heeft een ketting om zijn hals met één tand eraan.

'Zo kinderen,' zegt opa. 'Ik ben zover. Zullen we jullie dan maar wegbrengen?'
'Jaaa!' roepen Eefje en Mark. Ze verlangen best naar papa en mama en Hammie en Snoetje. En nu mogen ze naar huis, want hun boekje is vol. Maar tegelijkertijd worden ze ook verdrietig. Het was zo fijn bij opa en oma. Ze lopen naar

buiten. Dag lieve klimboom. Dag speeltuintje, dag eekhoorn, dag konijntjes, dag specht, dag Vlaamse gaai, dag hertjes dag... Ze gooien wel honderd kusjes op. Maar één heel dikke kus hebben ze nog over. Voor oma. En ze drukken de dikke kus op oma's wang. Pas als de kus helemaal op is, klimmen ze in de auto.